# Olympia

B
ΥΠΟΥΡΓΕΙΟ ΠΟΛΙΤΙΣΜΟΥ
1006863
ΤΑΜΕΙΟ ΑΡΧΑΙΟΛΟΓΙΚΩΝ ΠΟΡΩΝ
ΤΑΠ

Verlagsleitung: George A. Christopoulos, John C. Bastias
Übersetzung: Gerhard Blümlein
Aufnahmen: Spyros Tsavdaroglou
Farbreproduktion: Pietro Carlotti

Druck und Einband durch Ekdotike Hellados S.A., Athen

# Olympia

MANOLIS ANDRONICOS
Professor der altgriechischen Kunstgeschichte an der Universität von Thessaloniki

**EKDOTIKE ATHENON S.A.**
**Athen 1990**

ISBN 960-213-047-4

*1, Vissarionos St., Athens 106 72*
*Printed in Greece*

# OLYMPIA UND SEIN MUSEUM

## KULT UND WETTKÄMPFE: Der älteste Kult und die Mythen

Auch Landschaften haben ihr Schicksal. An den entlegenen Abhängen des Parnaß versammelte Apollon die Griechen in seiner Amphiktyonie und weissagte Griechen wie Nichtgriechen. In einer anderen entlegenen Gegend Griechenlands, in der westlichen Peloponnes, schlug die Idee des Sports für immer Wurzeln und verbreitete ihren Namen über die ganze bewohnte Erde: Olympia. Friedlich und sanft breitet sich zwischen zwei Flüssen, dem Alpheios und dem Kladeos, die Landschaft in sattem Grün aus; im Altertum war sie voller Platanen und wilder Ölbäume: ein herrlicher Hain (álsos) oder, wie ihn die Einheimischen in ihrem Dialekt nannten: die Altis. Mußte der Gott selber die Menschen zu den schrecklichen Felswänden Delphis führen, so verstanden sie es allein, die reiche Ebene Olympias auszusuchen, um dort am Beginn des 2. Jahrtausends v. Chr., oder vielleicht etwas früher, ihre ersten Häuser zu bauen. Die Apsidenhäuser, die die Ausgrabungen der unteren Schichten des Heiligtums freilegten, gehören in die mittelhelladische Zeit (1900-1600 v. Chr.). Diese alten Bewohner der Gegend kannten gleichwohl Zeus und die olympischen Götter nicht. Der uralte Kult, den die Überlieferung kennt, ist der des Kronos. Er, Vater des Zeus, wurde auf dem imposanten Hügel, der die Nordseite des Heiligtums beherrscht und abgrenzt, verehrt; ihm war der Hügel geweiht, wie auch sein Name — Kronion (Kronos-Hügel) — bezeugt. Am Fuß des gleichen Hügels befanden sich die Heiligtümer anderer — weiblicher — Gottheiten: der Aphrodite Urania, der Eileithyia (und des drachengestaltigen Dämons Sosipolis) und der Nymphen, dazu das „Gaion", das uralte Heiligtum und die Orakelstätte der „Erstweissagerin" Gaia (=Erde) und ihrer Tochter Themis. Wir wissen nicht, wann und wie in diese Gegend der Mythos und der Kult des Pelops gelangt sind, jenes merkwürdigen Helden, welcher der Peloponnes seinen Namen gab und der sich, neben Zeus heilig und verehrungswürdig, mit der heiligen Altis als „Dämon" des Ortes verband. Es ist aber sehr wahrscheinlich, daß sein Kult älter als der des Zeus ist und daß sein heiliger Bezirk im Heiligtum, das Pelopion, das älteste Kultdenkmal ist, das wir kennen; es stammt aus der gleichen Zeit wie das Hippodameion, das Heiligtum der Hippodameia, dessen Lage wir nicht kennen. Die Alten wußten, daß in dieser Gegend, die Pisatis hieß (mit der Hauptstadt Pisa), einst Oinomaos herrschte, dessen Tochter Hippodameia war. Er wollte sie verheiraten, forderte aber von jedem Bewerber, er solle ihn im Wagenrennen besiegen. Gelang es ihm nicht, tötete ihn Oinomaos. Dreizehn hatte er schon getötet, als Pelops, Sohn des Tantalos, aus dem fernen Lydien nach Pisa kam, um auch um die Hand Hippodameias anzuhalten. Im Wagenrennen besiegte er den mitleidlosen König und nahm Hippodameia zur Frau. So verband sich Pelops mit der Gegend und wurde in der heiligen Altis verehrt.

Ein anderer Mythos aber gibt uns offensichtlich historische Informationen: Als die Herakliden in ihr Vaterland, die Peloponnes, zurückkehren wollten, erlebten sie viele Schwierigkeiten und Schicksalsschläge. Schließlich enthüllte ihnen der Gott von Delphi, sie müßten einen dreiäugigen Führer nehmen und die „Enge" passieren. Unterwegs stießen sie auf den einäugigen Oxylos, Abkömmling des Aitolos, der einst König in Elis war, bevor er in das Land verbannt wurde, das seinen Namen annahm (Aitolia); da Oxylos auf einem Pferd ritt, konnte nur er der „Dreiäugige" sein. Auf ihr Bitten hin brachte er sie auf die Peloponnes und führte sie nach Arkadien. Er und die Aitoler machten sich nach Elis auf, wo damals die Epeier lebten. Ein Heldenduell entschied die Schlacht zwischen den beiden Gegnern: Der Aitoler Pyraichmes besiegte den Epeier Degmenos. So wurde Oxylos wieder König von Elis, und die Aitoler lebten friedlich mit den alten Bewohnern der Gegend zusammen. Der Mythos von Oxylos berichtet uns, was die neueren historischen Forschungen so bezeichnen: Wanderung der westlichen Griechenstämme auf die Peloponnes in den letzten Jahren der mykenischen Zeit. Es scheint, daß mit dieser Zeit der Kult des Zeus in Olympia beginnt, und zwar in dessen uralter Eigenschaft als Krieger, wie es uns die frühesten Statuetten zeigen, die ihn als Helmträger darstellen. Diese seine kriegerische Grundeigenschaft bewahrte er auch in seinem archaischen Kultbild (um 600 v. Chr.), das sich im Heraion neben der sitzenden Hera befand.

## Die olympischen Wettspiele

Der neue Kult des „Vaters der Menschen und Götter" nahm, wie es natürlich ist, den beherrschenden Platz in der Altis ein, und der heilige Bezirk gehörte nunmehr ihm. Aber es gab außer seinem großen Altar, wo die üppigsten Opferungen stattfanden, zahlreiche andere Altäre: Pausanias erwähnt 69, und wir wissen, daß er sie nicht alle anführte. Das bedeutet, daß Olympia eine heilige Stätte war, wo die alten Kulte der einheimischen Bewohner parallel zur olympischen Religion, welche die aus Westgriechenland neuangekommenen

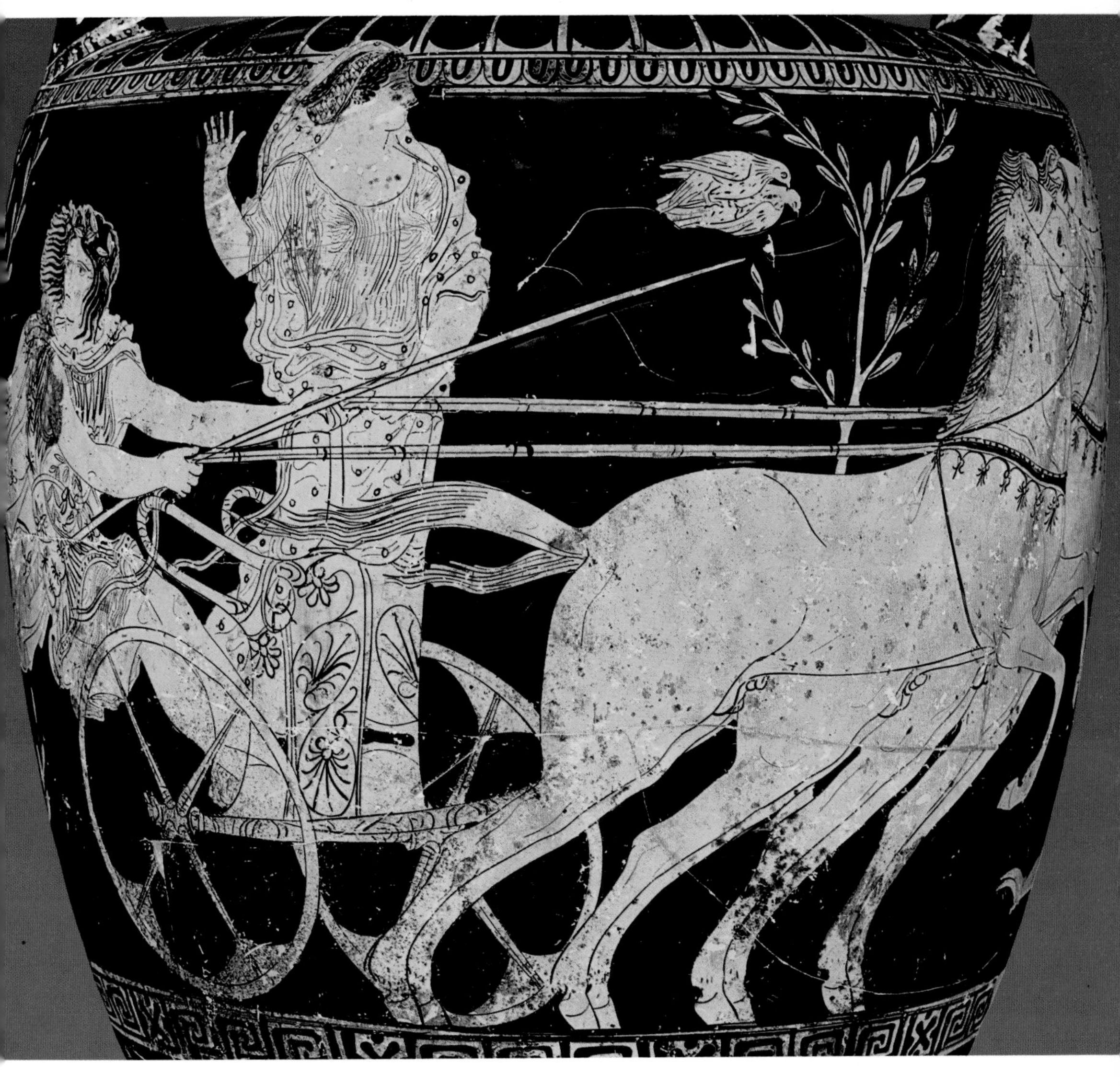

*1. Vasenmalerei des 5. Jhs. v. Chr. Dargestellt ist die Entführung der Hippodameia durch Pelops mit einem Viergespann. (Arezzo, Museo Archeologico)*

Stämme mitbrachten, ihren Platz hatten. Nicht das ist aber der Grund, der Olympia zum größten panhellenischen Heiligtum machte und seine Eigenart und Bedeutung bestimmte. Diesen seinen ganz besonderen Rang verdankt Olympia den Wettkämpfen, die alle vier Jahre dort durchgeführt wurden: den olympischen Spielen. Der Ursprung der Spiele reicht für die alten Griechen in die mythische Zeit zurück. Die olympischen Spiele hatten also für die Griechen eine uralte und heilige Herkunft und waren Teil des Ahnenkultes.

Die moderne Forschung ist sich über die Interpretation des Ursprungs der Spiele nicht einig. Einige Forscher glauben, daß die natürliche Lust des Men-

*2. Ringkampf-Szene auf einer rotfigurigen Amphora des 6. Jhs. v. Chr. (Berlin-West, Staatliche Museen)*

*3. Darstellung eins Diskuswerfers auf einer rotfigurigen Amphora vom Anfang des 5. Jhs. v. Chr. Der Diskuswurf, eine Kampfart, die Rhythmus, Präzision und Kraft erfordert, war bei den panhellenischen Spielen besonders beliebt. (München, Antiken-Sammlungen)*

*4. Darstellung von Wetkämpfern beim Weitsprung auf einer rotfigurigen Schale (Kylix) vom Anfang des 5. Jhs. (Boston, Museum of Fine Arts)*

*5. Darstellung eines Wettlaufs von Frauen auf einer schwarzfigurigen Hydria des ausgehenden 6. Jhs. v. Chr. Im Stadion von Olympia fanden alle vier Jahre zu Ehren der Göttin Hera die «Heraia» statt, Wettbewerbe junger Mädchen im Laufen. (Musei Vaticani)*

*6. Fünfkämpfer auf einer panathenäischen Amphora vom Ende des 6. Jhs. v. Chr. Abgebildet sind ein Springer, ein Speerwerfer, ein Diskuswerfer und eine zweiter Speerwerfer. (London, British Museum)*

*7. Darstellung eines Wettlaufs auf einer panathenäischen Amphora vom Ende des 6. Jhs. v. Chr. (New York, Metropolitan Museum)*

5

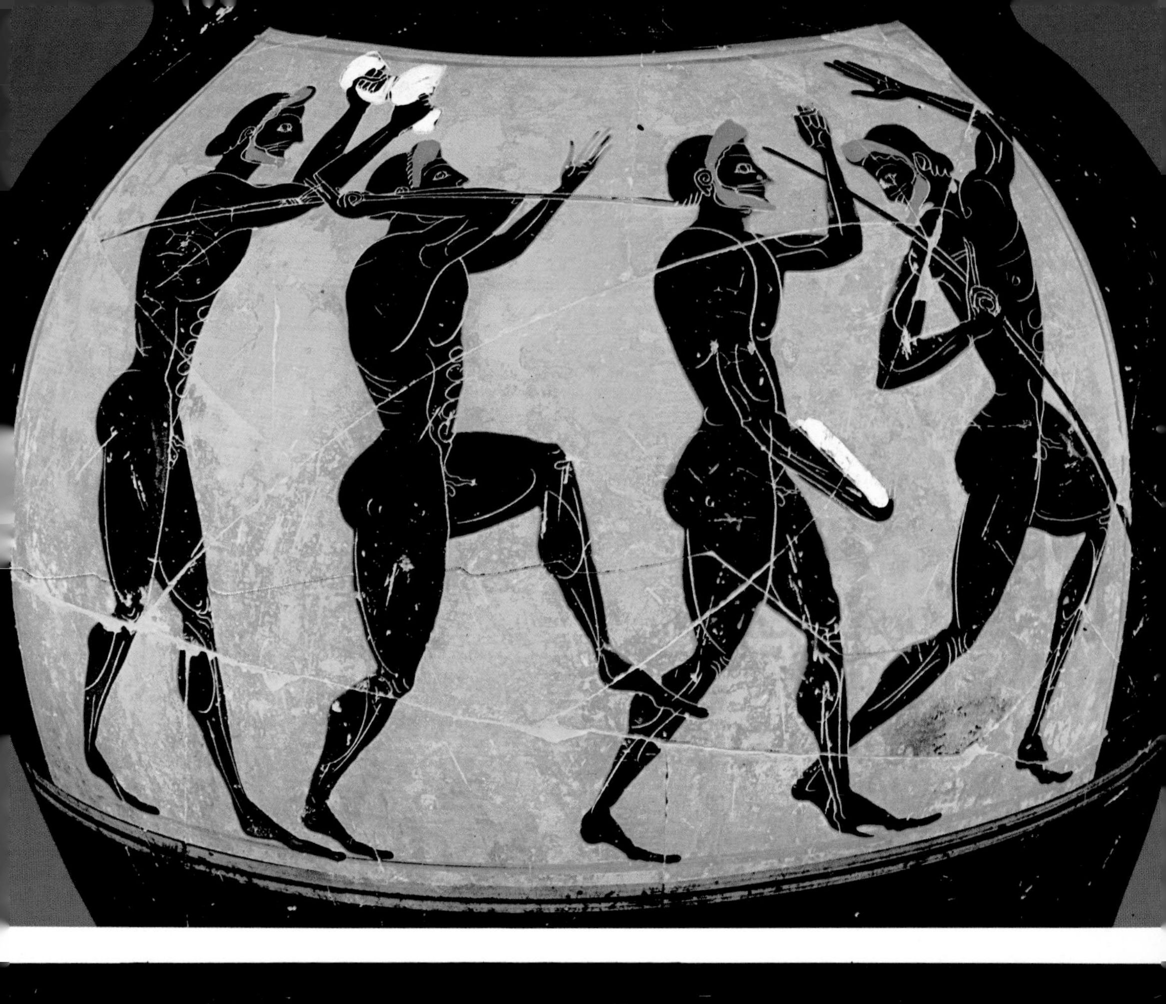

schen zu sportlicher Übung und zum Wettkampf die Ursache war, welche die Griechen zur Einrichtung der sportlichen Wettkämpfe trieb. Viel zahlreicher sind die, welche den Beginn der Spiele mit Grabsitten in Verbindung bringen, weil wir wissen, daß Wettkämpfe zu Ehren der Toten seit homerischer Zeit gefeiert wurden. Aber wie wir auch die Geburt der olympischen Spiele deuten, ihre Bedeutung überschreitet die Grenzen der Zeit und des Ortes, an dem sie eingeführt wurden. Ohne zu übertreiben, können wir sagen, daß jene Spiele eine weitere griechische Idee hervorbrachten, die Lebenshaltung des freien Menschen, der mit seinesgleichen kämpft, nackt und frei von allem, was seinem Körper fremd ist, und der nur den Kampfregeln gehorcht; sein Gewinn ist ein Olivenkranz, d.h. ein rein moralischer Ruhm, und das Lob seiner Mitmenschen.

## Die Bedeutung der Spiele für die Geschichte der Griechen

Die olympischen Spiele stecken für die antike griechische Welt die historische Zeit ab. Das Jahr der ersten Olympiade 776 v. Chr. stellt zugleich die erste genaue und sichere Datierung der griechischen Geschichte dar, weil von diesem Zeitpunkt an die offizielle Aufzeichnung der Sieger einer jeden Olympiade beginnt. Aber noch eine zweite, historisch viel gewichtigere Feststellung ergibt sich aus den olympischen Spielen: Die in zahlreiche Stammesgruppen aufgeplitterten Griechen, die zerstreut waren von Kleinasien bis Italien und von Afrika bis Mazedonien und Hunderte von oft einander feindlichen Staaten darstellten, sind sich ihrer nationalen Einheit bewußt, die sie von allen anderen Bewohnern der Welt unterscheidet. An den olympischen Spielen können nur freie Griechen teilnehmen. Daher heißen die obersten Kampfesrichter Hellanodikai, ein uralter Name, der die überragende Bedeutung bezeugt, die die olympischen Spiele im Leben der Griechen einnahmen. Ihre Feier erforderte die friedliche Anwesenheit aller Griechen in der Altis. Aus diesem Grund reisten die „Spondophoroi", edle Elier, mit offiziellem Gefolge lange vor den Spielen zu allen griechischen Städten und verkündeten die „Ekecheria", d.h. das Einstellen der Feindseligkeiten, das bis zu drei Monaten währte.

So konnten alle Griechen furchtlos zur prächtigsten panhellenischen Versammlung reisen, nicht nur, um die Jugend auf der Kampfbahn zu bewundern, sondern auch, um berühmte Herrscher und vielgerühmte Weise zu sehen, Dichtern und Musikern zuzuhören; die Dorer Siziliens trafen mit den Ioniern des Ostens zusammen, die Griechen von Kyrene mit ihren entfernten Brüdern aus Mazedonien. Die einzigartige und erschütternde 76. Olympiade (476 v. Chr.) können wir uns heute unmöglich mehr vorstellen: Die Griechen der ganzen Welt sahen Themistokles, den Sieger von Salamis, in die Altis eintreten. Den ganzen Tag über, so erzählt uns Plutarch, vergaß man die Athleten und die Wettkämpfe und jubelte ihm zu, der sie im „Kampf um alles" zum Sieg geführt hatte.

*8. Stater von Elis mit der Abbildung des Zeus, der beherrschenden Gottheit des Heiligtums von Olympia. Mitte des 4. Jhs. v. Chr. — Geflügelte Nike auf einer Münze von Elis; mit einem Kranz in der Hand läuft sie nach links. — Silbernes Tetradrachmon, das Philipp II. von Mazedonien zur Erinnerung an seinen Sieg im Pferderennen im Jahre 356 v. Chr. schlagen ließ, mit der Abbildung des siegreichen Reiters und des Pferdes. (Athen, Nomismatisches Museum)*

ΦΙΛΙΠ

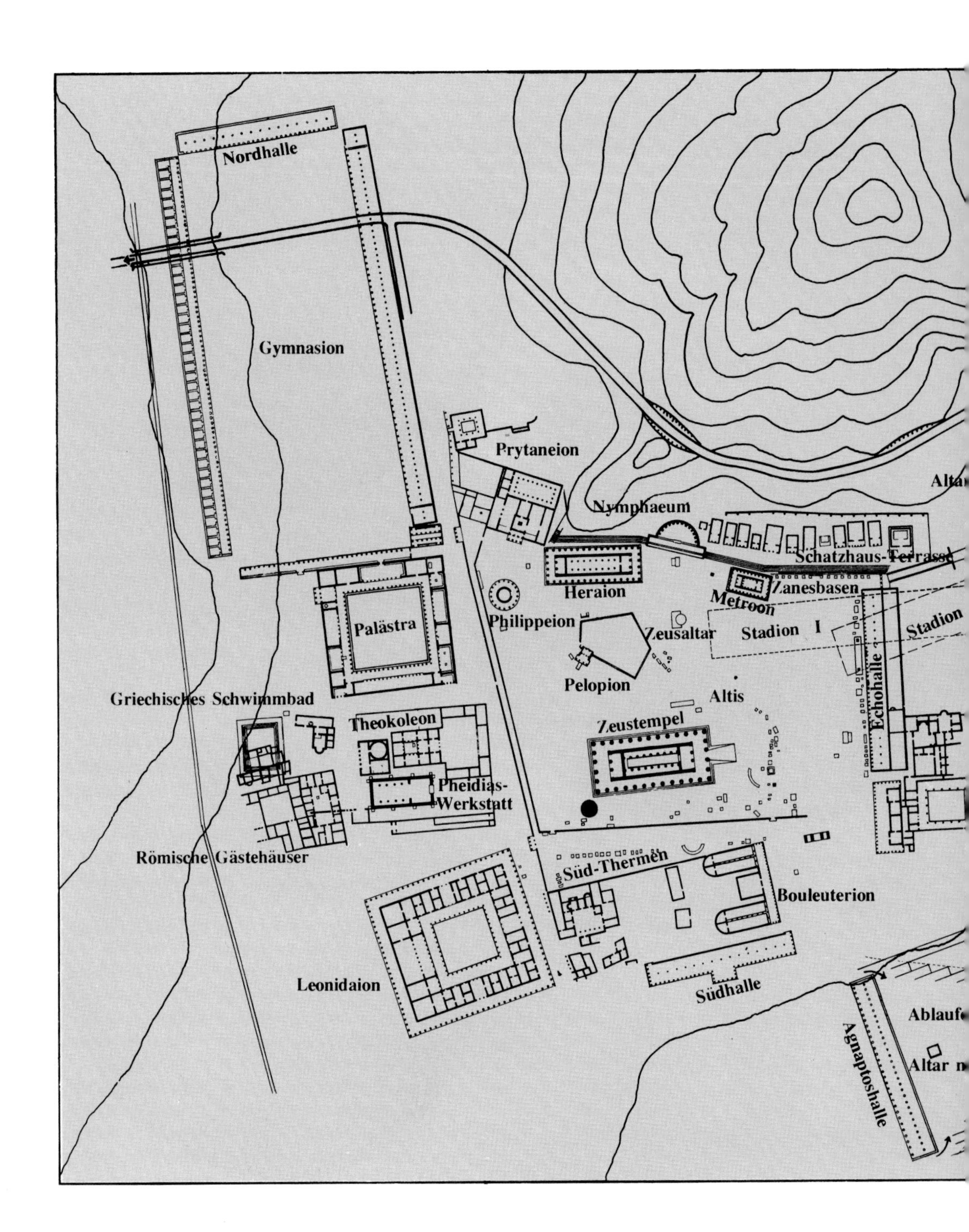
Nordhalle
Gymnasion
Prytaneion
Nymphaeum
Schatzhaus-Terrasse
Heraion
Metroon
Zanesbasen
Philippeion
Zeusaltar
Stadion I
Stadion
Echohalle
Palästra
Pelopion
Altis
Griechisches Schwimmbad
Theokoleon
Zeustempel
Pheidias-
Werkstatt
Römische Gästehäuser
Süd-Thermen
Bouleuterion
Leonidaion
Südhalle
Agnaptoshalle

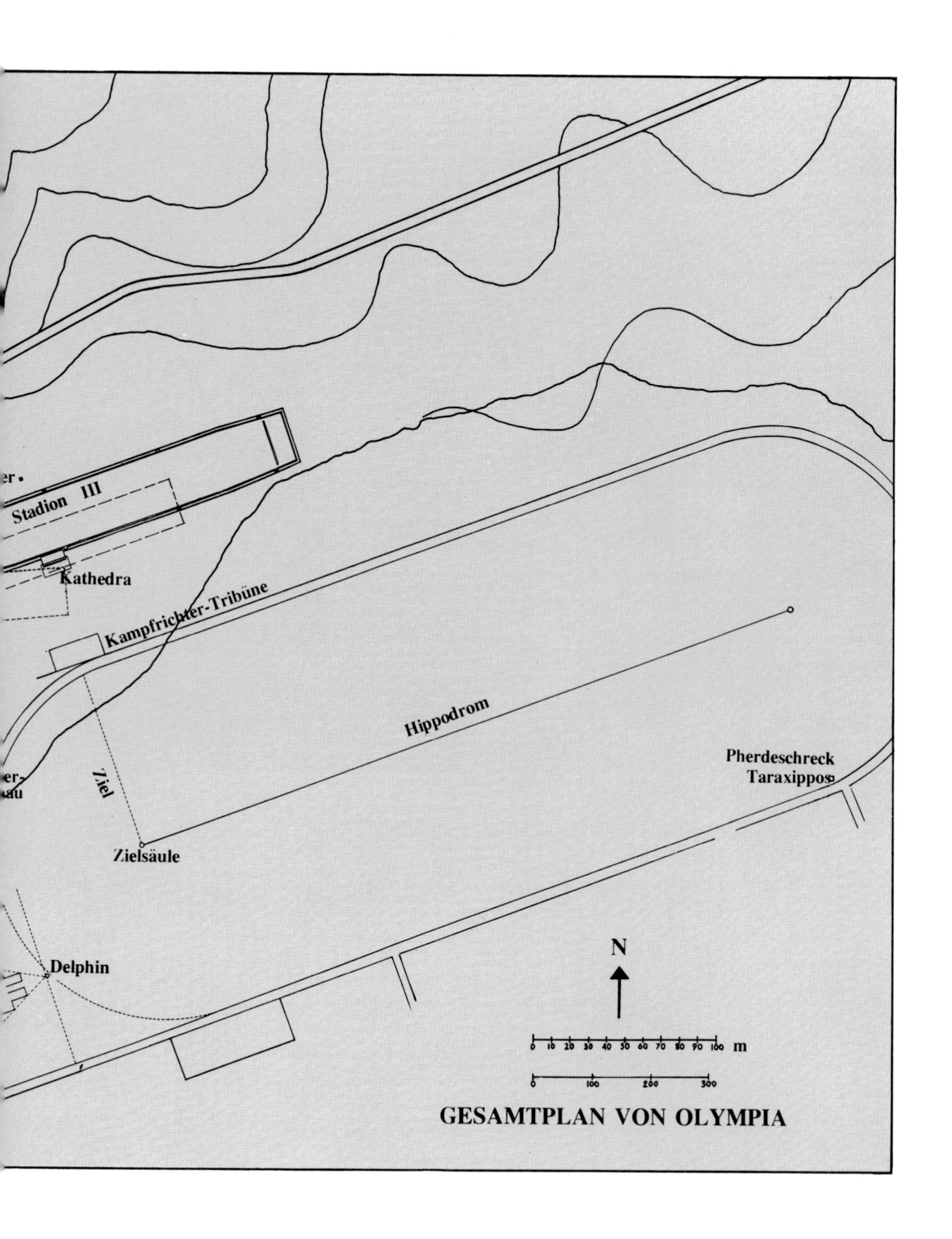

Stadion III
Kathedra
Kampfrichter-Tribüne
Hippodrom
Ziel
Zielsäule
Pherdeschreck
Taraxippos
Delphin
N
m
GESAMTPLAN VON OLYMPIA

*9. Rekonstruktion des Hippodroms von Olympia. Links die Startanlage für die*

Und all dies unter den Augen und dem Schutz des großen Zeus, des Gottes der Griechen, der — selbst Krieger — ihnen beistand in kriegerischen Kämpfen und in solchen der Kampfbahn. Deswegen brachten ihm auch die Griechen, ein zutiefst religiöses Volk, ihre Waffen dar, die ihnen den Sieg geschenkt hatten, und die Beutestücke, die den Feinden zu entreißen ihnen der Gott vergönnt hatte. Die Sieger stellten auch ihre Standbilder mitten in dem ihm heiligen Bezirk auf, nicht aus dem Übermut des Starken heraus, sondern mit der Frömmigkeit dessen, der mit Demut die Gunst des Gottes zu empfangen weiß. Mit der Zeit zählten so die Weihgeschenke in der Altis nach Tausenden; darunter waren wertvolle und berühmte Waffen, die Olympia zum vollkommensten Museum der Kriegsgeschichte der Griechen machten.

## DIE ALTIS: Die Bauten des Heiligtums

Wie in Delphi errichteten auch in Olympia viele griechische Städte „Schatzhäuser", um ihre Weihgeschenke unterzubringen; hier jedoch waren

*Wagenrennen.*

sie nicht im heiligen Bezirk verstreut, sondern waren in einer Reihe am Fuß des Kronos-Hügels angelegt, und zwar fast alle in archaischer Zeit; mit Ausnahme von zweien waren es alles Weihgeschenke der überseeischen griechischen Kolonien. Es ist gleichwohl bemerkenswert, daß die Altis bis zum Beginn des 5. Jhs. v. Chr. nur ein monumentales Bauwerk neben den Schatzhäusern aufwies: den uralten Heratempel (600 v. Chr.), in dem auch Zeus verehrt wurde (Abb. 15). Zwei weitere Gebäude, das Prytaneion und das Bouleuterion (ersteres westlich neben dem Heraion, das andere in großem Abstand an der Südseite der Anlage außerhalb der Einfriedung des Heiligtums) änderten nicht das Bild des heiligen Bezirks, der immer noch aus dem heiligen Hain mit dem Altar des Gottes bestand, dem Grabhügel des Pelops und dem Hippodameion und natürlich dem großen Stadion und der Pferderennbahn. Nicht einmal Zeus, der Gott des Heiligtums, hatte einen eigenen Tempel. Als aber 472 v. Chr. in Elis eine grundlegende politische Neustrukturierung durchgeführt wurde (nach dem Vorbild der athenischen Demokratie) und im folgenden Jahr die neue Hauptstadt des Staates, Elis, gegründet wurde, beschloß man, so scheint es, auch den Zeustempel in der Altis zu errichten. Sein Architekt war, wie wir wissen, der Elier Libon, der sein Werk 457 v. Chr. fertigstellte; damals weihten die Lakedämonier dem Tempel einen Schild aus purem Gold und stellten ihn am Akroter auf. Das taten sie nach ihrem Sieg gegen die Athener bei Tanagra. Dieser Tempel war mit seinen Ausmaßen (27,68 × 64,12 m) der bis damals größte im griechischen Mutterland (Abb. 18) und wurde mit zwei wunderbaren Giebelkompositionen und zwölf Metopen geschmückt, welche das reifste und eindrucksvollste Werk des Strengen Stils sind. Wenige Jahre später kommt Phidias hierher, nachdem er seine großartigen Schöpfungen auf der Akropolis von Athen beendet hat, und arbeitet am Standbild des Zeus (12 m Höhe) aus Gold und Elfenbein, das ihn herrscherlich auf seinem Thron sitzend darstellte.

Seit jener Zeit im Wesentlichen wird die Gesamtanlage architektonisch gestaltet: Es erheben sich zahlreiche Gebäude, Säulenhallen, ein Gymnasion, eine Palästra (Abb. 20-21), ein Gästehaus, bekannt unter dem Namen seines Stifters als „Leonidaion" (Abb. 25), die elegante ionische „Tholos", die Philipp von Mazedonien errichten ließ, um die Standbilder der königlichen Familie aufzustellen (bekannt als Philippeion), Bäder u.a., während sich gleichzeitig die Weihgeschenke vervielfachen, die nun den ganzen freien Raum füllen, besonders die Gegend östlich des Tempels. Der Ruhm der Spiele und des Heiligtums bleibt auch in den folgenden Jahrhunderten bestehen; die Römer fügen ihre eigenen Gebäude und Weihgeschenke hinzu. 393 n. Chr. wird die 293. Olympiade durchgeführt, 1169 Jahre nach der ersten. Sie war die letzte. Kaiser Theodosius gibt im folgenden Jahr den berühmten Erlaß heraus, der den alten Kult und die Abhaltung der Spiele verbietet. Einige Jahre später nimmt eine frühchristliche Basilika den Platz der Werkstatt des Phidias ein (Abb. 26).

## Die archäologische Forschung

Im 6. Jh. n. Chr. läßt ein schreckliches Erdbeben (oft erschüttern sie die Gegend) alles zusammenstürzen, was noch von dem großen Tempel aufrecht stand. Die beiden Flüsse, der Alpheios und der Kladeos, bedeckten mit der Zeit die Ruinen mit Erdreich, das sie bis zu dem Augenblick schützte, da im April 1829 eine französische Expedition unter General Maison die ersten kurzen Ausgrabungen am Zeustempel durchführte. Systematisch wird seit dem 22. September 1875 bis heute von dem Deutschen Archäologischen Institut ausgegraben; die beispielhafte Methode zeitigte glänzende Resultate — wie zu erwarten, bedenkt man, daß Ernst Curtius zuerst dort arbeitete, dann weitere hervorragende Archäologen wie Dörpfeld, Furtwängler und bis vor kurzem E. Kunze. Bereits die ersten Funde machten ein Museum notwendig. Mit finanzieller Unterstützung durch Andreas Syngros und nach den Plänen der deutschen Architekten Adler und Dörpfeld wurde 1886 das Museum von Olympia gebaut; dort ist der Teil der Funde untergebracht, der noch nicht ins neue Museum überführt ist, das vor einiger Zeit eröffnet wurde und die gefällige Präsentation der Skulpturen, aber auch der zahllosen bronzenen Weihgeschenke gestattet, welche die seltenste Sammlung der Welt bilden.

## DIE SKULPTUREN DES MUSEUMS: Die Giebel des Zeustempels

Einen besonderen Genuß bietet die Plastik des Strengen Stils (480 - 450).

*10. Rekonstruktion des Nymphaions von Olympia.*

Zwar kann man sie an so einzigartigen Werken wie dem Poseidon von Artemision im Nationalmuseum, dem Wagenlenker von Delphi oder dem Kritios-Knaben auf der Akropolis studieren. Diese Werke kennzeichnen ihre Zeit und erlauben uns, verschiedene Aspekte des Strengen Stils zu begreifen; gleichwohl können sie uns nicht ein Gesamtbild der geistigen Grundlagen und der plastischen Errungenschaften dieses Stils geben. Das Glück aber war uns hold und rettete die eindrucksvollste Anzahl von Skulpturen, die alle Forderungen und Errungenschaften des Strengen Stils in einer unwiederholbaren Spitzenleistung zusammenfaßt: die Giebelfiguren und Metopen des Zeustempels von Olympia.

Auf dem Ostgiebel (Abb. 38) ist die Komposition vom Mythos des Wagenrennens von Oinomaos und Pelops inspiriert. Vor uns stehen alle Personen des Dramas, kurz bevor der tragische Wettkampf beginnt: die beiden Gruppen, Oinomaos und Sterope, Pelops und Hippodameia, mit den Wagen und Wagenlenkern; zwischen beiden Gruppen sehen wir, in der Achse des Giebelfeldes, die imposante Gestalt des Zeus. Nirgends findet die „strenge Harmonie" passendere, greifbarere Form: eine dumpfe und hieratische Atmosphäre wie in der Tragödie wird im Zentrum geschaffen mit der senkrechten Achse der Figuren und der Speere, wie sie von den Wagen und den knienden oder zurückgeneigten Figuren eingerahmt werden — eine unerwartete Kombination zweier Elemente, die nicht nur eine verschiedene, sondern eine gegensätzliche Funktion haben. Der gleiche Gegensatz besteht zwischen den breiten und klaren Oberflächen der zentralen Figuren, zu Ubermenschlichen, idealisiert, und den realistischen Gesten und Haltungen der anderen (Abb. 36 - 37).

Auf dem Westgiebel (Abb. 39) ist der Kentaurenkampf dargestellt: Die Kentauren waren zur Hochzeit des Lapithenhelden Peirithoos eingeladen, berauschten sich und wollten die junge Braut Deïdameia und die anderen Frauen rauben. Die Komposition hier ist völlig verschieden von jener des Ostgiebels. Nur die unvergleichliche zentrale Gestalt des Apollon bewahrt die Größe göttlicher Leidenschaftslosigkeit. Links und rechts von ihm Theseus und Peirithoos und weiter die Gruppen der Lapithen und Lapithinnen und der Kentauren in einem rhythmisch ungestümen Wechsel und einer geradezu elastischen Bewegung, die unaufhörlich von der Mitte zum Rand und zurück wellenförmig verläuft. Hier ist die Szene ungezähmt, der Gegensatz zwischen der jungfräulichen Schönheit der Mädchen und der tierischen Roheit der Kentauren bleibt unüberbrückbar (Abb. 40 - 43).

Für den Betrachter der Giebel ist der Gegensatz offensichtlich. Auf dem östlichen ist alles für einen Augenblick stehengeblieben, konzentrierte Kräfte, die den tragischen Zusammenstoß erwarten. Auf dem westlichen haben sich die gegnerischen Kräfte schon im tödlichen Kampf verstrickt. Im Grunde aber stellen beide einen äußerst erhabenen plastischen Ausdruck des Tragischen dar. Die Gewalt der Tragödie ist bei beiden gleich erschütternd; verschieden ist nur die Ausdrucksweise, die einen verschiedenen Moment des Dramas auswählt. Auf dem Ostgiebel weist alles auf die bevorstehende Katastrophe hin: die Braut, die von der Gruppe ihres Vaters abgeschnitten und ihrem neuen Mann zugeordnet ist, kündet bereits das Ergebnis an. Auf dem Westgiebel überzeugen uns die imposanten Gestalten der beiden Helden, die den großen Gott des Lichts einrahmen, daß sie der gesetzlosen Gewalt der Kentauren mit dem Segen des Gottes, der bedeutungsvoll seinen Arm ausstreckt, siegreich begegnen.

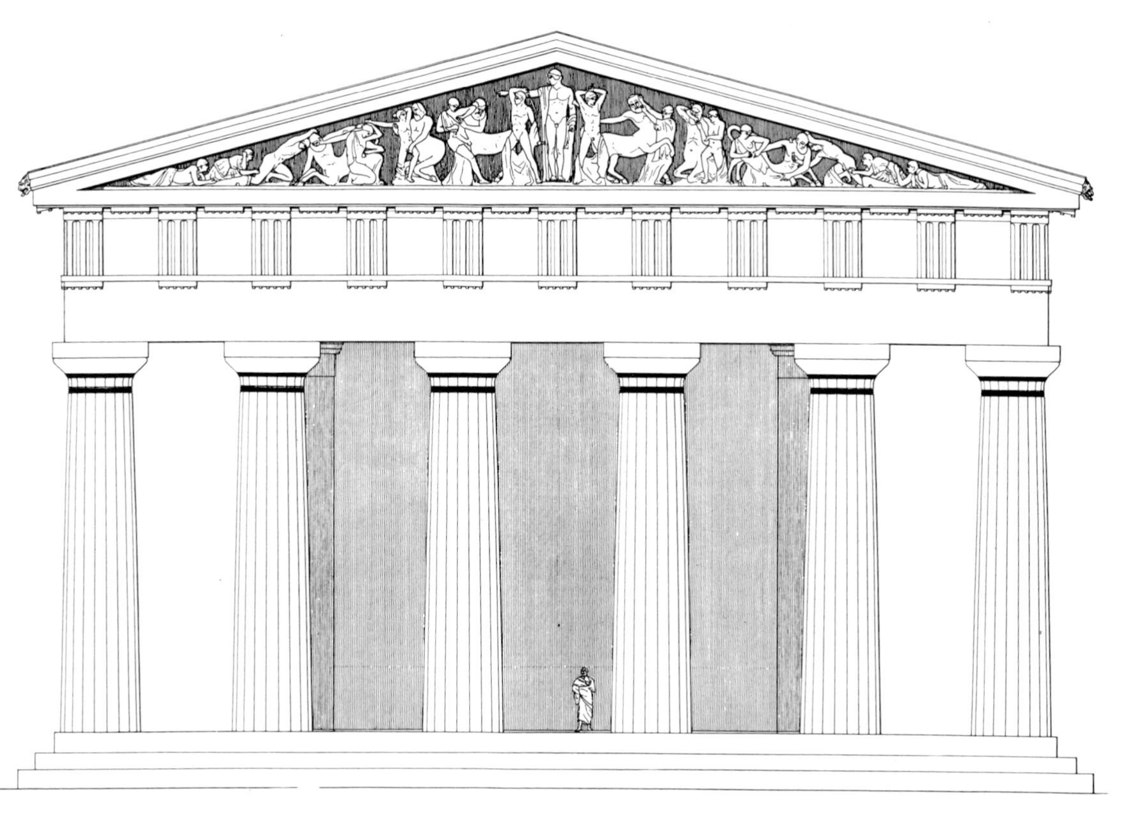

*11. Rekonstruktion der Westseite des Zeus-Tempels.*

## Die Metopen des Tempels

Auf den zwölf Reliefmetopen, die sich über der Vorhalle und über der Rückhalle befanden (6 und 6), sind die zwölf Taten des Herakles abgebildet. Zum ersten Mal wird damit in der griechischen Kunst das ,,Dodekathlon" festgelegt. Viele Metopen haben starke Beschädigungen erlitten; drei wurden von den ersten französischen Ausgräbern in den Louvre gebracht. Den Archäologen gelang es gleichwohl, viele verlorene Teile zu ergänzen; wir können uns heute ein genaues Bild von den Kompositionen und ihrer plastischen Bearbeitung machen, die bewundernswert ist. Die Phantasie des Meisters, sein Geschick und sein Wagemut bei der Komposition, seine Gewandtheit und sein Ausdrucksreichtum erlaubten ihm, zu ganz einzigartigen Ergebnissen zu gelangen, die in vieler Hinsicht nicht einmal von den Metopen des Parthenon übertroffen wurden. Von der wegen des Zusammenstoßes der Kräfte packenden Metope des Stiers von Knossos bis zur idyllischen Szene mit den stymphalischen Vögeln (Abb. 46), von der unerwarteten Darstellungsweise des Kampfes gegen den Nemeischen Löwen, der tot zu Füßen des erschöpften Herakles liegt, und der eindrucksvollen und phantasievollen Überreichung der Äpfel der Hesperiden (Abb. 44) bis zur einzigartigen Darstellung der Ausmistung des Augiasstalles (Abb. 45), bezeugen alle Lösungen, die gegeben wer-

*12. Rekonstruktion der Ostseite des Zeus-Tempels.*

den, in ihrer Auffasung, Kompositionen ynd Ausführung eine geniale, edle künstlerische Schöpfung.

Für eine solche wunderbare Gruppe von Skulpturen müssen sicher viele Meister gearbeit haben; die Archölogen unterscheiden ihre Hand an den verschiedenen Figuren. Wie später beim Parthenon gab es aber auch hier, über all diesen „Mitarbeitern", einen großen Meister, der die Ausführung der drei Kompositionen konzipierte, plante und überwachte. Das weitblickende und originelle Konzept stelt die erste Errungenschaft des Werkes dar, das mit ungewöhnlich kühnen und kraftvollen plastischen Formen und ihrer architektonisch dynamischen Komposition verwirklicht wird. Niemand weiß jedoch, wer dieser große Künstler war. Selbst die Kunsthistoriker — sie stehen bewundernd und ehrfurchstvoll vor dierser Leistung — gestehen ihr Unvermögen ein, wenigstens seine künstlerischen Verwandten zu bestimmen. Viele ordnen ihn in die einheimische peloponnesische Tradition ein, während andere behaupteten, er stamme von einer Insel. Aber wie der größte Kunsthistoriker der antiken Kunst Sir John Beazley sagen würde (wir haben ihn kürzlich verloren), der Name tut nichts zur Sache, da wir das Werk vor uns haben, das uns die hohe künstlerische Aussage und die geistige und religiöse Hochstimmung jener Zeit vermittelt, beides gleichzeitig und gleichwertig mit den dichterischen Höhen eines Aischylos und eines Pindar.

## Archaische Skulpturen

Diese einzigartigen Skulpturen beherrschen das Museum von Olympia und drängen sich dem Besucher mit solcher Gewalt auf, daß er es nur schwer fertigbringt, seinen Blick (und seinen Sinn) auf etwas anderes zu richten. Dabei gibt es dort einige wunderbare Werke, die die Geschichte der griechischen Plastik in ihren entscheidenden Phasen kennzeichnen. Der Löwe aus Porosstein z.B., der einst als Wasserspeier diente, ist eines der frühesten, wenn nicht das früheste Werk der griechischen Großplastik; er gehört in die Zeit vor der Mitte des 7. Jhs. v. Chr. Und der kolossale Hera-Kopf mit dem Polos (Abb. 29), der zum ältesten Kultbild der Göttin gehört haben muß, das sich im antiken Heraion befand und die Göttin auf einem Thron sitzend zeigte (neben dem aufrecht stehenden Zeus), ist das erste Werk der peloponnesischen Plastik, die später weitere hervorragende Beispiele ihrer Arbeit aufweisen sollte. Als Schöpfung der ersten Jahre des 6. Jhs. v. Chr. bezeugt es, daß die griechische Plastik seit dieser ältesten Periode nicht nur Gestalten mit plastischer Fülle und Sensibilität zu schaffen, sondern auch die Gestalt des Gottes mit Kühnheit und tiefer Frömmigkeit darzustellen vermag.

## Terrakottaskulpturen des Strengen Stils

Die vergangenen Jahrhunderte entblößten das Heiligtum von Olympia von zahllosen Standbildern, die uns erlauben könnten, Schritt für Schritt den Wechsel der Form, aber auch des geistigen Inhalts in der Gottesgestalt zu verfolgen. Diesen Verlust ersetzen die kleinen Bronzestatuetten aus allen Perioden, die glücklicherweise in großer Anzahl erhalten sind. Das Glück war uns wieder einmal hold und schenkte uns zudem einige Proben einer Tonplastik, die im antiken Griechenland verbreitet gewesen sein muß, deren Werke aber beinahe gänzlich verlorengegangen sind.

In Olympia wurden nur wenige solcher Werke gefunden, die aber mit den bedeutendsten Marmor- oder Bronzeplastiken verglichen werden können, weil auch ihre Größe sie von der Kleinkunst trennt und sie der Großplastik zuordnet. Diese Terrakottastatuen dürfen uns annehmen lassen, daß ungefähr so die Modelle aussahen, die die großen Meister verfertigten, bevor sie zur Ausführung ihrer Werke in Bronze oder Marmor schritten, besonders dann, wenn sie gezwungen waren, die Ausführung anderen Mitarbeitern zu übertragen. Auch die erhaltenen Farben geben uns ein richtiges Bild der antiken Plastiken, die uns heute infolge der Verwitterung weiß und kalt vorkommen und so ein völlig trügerisches Bild der antiken griechischen Kunst hervorrufen. Es genügt, vor dem Terrakottakopf der Athena (Abb. 32) zu stehen, um die Kraft zu spüren, die sich in dieser Gestalt verbirgt; die unvergleichliche Wiedergabe des Gesichts mit der ganz sachten Wellung des Fleisches, das vor innerer Kraft bebt, die sensible, aber zugleich gespannte Kurve der Lippen und die federnden, volle Wachheit zeigenden Bögen der Lider und Brauen, welche die durchdringenden Augen mit dem unbegreiflichen Blick einrahmen, der sich in sich selbst zurückzieht: all dies — bekränzt von der Doppelreihe der noch archaischen Haarlocken — zeigt uns glänzend, wozu die korinthische Kunst in der spätarchaischen Zeit, kurz vor der Seeschlacht von Salamis, fähig war.

Einige Jahre jünger (um 470 v.Chr.) muß das vollkommenste Standbild aus Terrakotta sein, das es in Olympia gibt. Knapp über einen Meter ist diese wunderbare Gruppe groß, die vielleicht auf der Spitze eines Giebels als bezauberndes Akroter gestanden hat. Sie stellt den Raub des schönen Ganymedes durch Zeus dar (Abb. 34). Der gelbliche korinthische Ton erlangt mit seiner satten Färbung eine einzigartige Wärme. Es ist ein kühnes und originelles Werk, das der Gestalt des großen Gottes einen mehr vertrauten und weniger überirdischen und schrecklichen Ausdruck und Charakter verleiht, ohne ihn jedoch seiner übermenschlichen und göttlichen Substanz zu entkleiden. Mit dem Wanderstab in seiner Linken, sein buntes Gewand gegürtet, das von der schnellen Bewegung und der ungestümen Tat mitgerissen worden ist und die Brust und das linke Bein enthüllt, hält „der Vater der Götter und Menschen" mit seiner Rechten den zarten Körper Ganymeds; der wiederum hält in seiner Hand einen jungen Hahn und scheint sich dem Willen des Gottes überlassen zu haben, der sich mit Vehemenz nach links bewegt. Sicher wendet er sich zum Olymp, um Ganymed die Unsterblichkeit zu schenken. Die Plastik des Strengen Stils versucht offenbar — nach der strengen Haltung der archaischen Werke — alle Möglichkeiten auszuschöpfen, die ihr die Bewegung des menschlichen Körpers in seinen extremsten Haltungen gewährt, um so eine neuartige Dynamik zu gewinnen.

## Die Nike des Paionios

Neben den einzigartigen Beispielen des Strengen Stils, die das Museum von Olympia zieren, nehmen die Werke, welche die Plastik der klassischen Zeit vertreten, einen recht beschränkten Rang ein und erlauben dem Besucher nicht, sich ein abgerundetes Bild der griechischen Plastik zu verschaffen; man würde eigentlich etwas anderes erwarten von einem Ort, wo es einst zahllose solche Werke gab; das erfahren wir von Pausanias und können es aus den Basen schließen, die erhalten sind, aber ohne die Standbilder, denen sie als Sockel dienten. Den Plünderungen entgingen nur zwei Standbilder dieser Zeit, die so bedeutsam und charakteristisch sind, daß sie uns bis zu einem gewissen Grad für den Verlust der anderen entschädigen.

Das erste ist das Weihgeschenk der Messenier und Naupaktier für ihren Sieg gegen die Lakedämonier 424 v. Chr., das unter dem Namen seines Meisters bekannt ist: Nike des Paionios (Abb. 47). Auf einem sehr hohen (ca. 9 m) Pfeiler vor der Ostfront des Zeustempels aufgestellt, erweckte sie beim Betrachter den Eindruck, als stiege sie von ihrer himmlischen Wohnstätte zu diesem Ort herab. Dieses Werk des Paionios stellt eine außerordentlich kühne Leistung dar. Zum ersten Mal in der griechischen Plastik wird der Flug der geflügelten Göttin mit solchem Gefühl für den Gegenstand wiedergegeben, ohne daß die plastischen Werte des Werks oder seine Architektur geopfert werden. Der vorzügliche Gewandbausch unten, der den beiden riesigen Flügeln entsprach, die sich von den Schulterblättern weit aufspannten, die betonte Neigung nach vorne, stürmisch und zugleich durchdacht ausgewogen, das schwebende Vorstrecken des linken Beins, das Biegen des Kopfes: all dies wird in einer Komposition verbunden, die voller Leben und imponierender Größe ist, der aber nicht der Reiz und der Adel der weiblichen Gestalt fehlen.

*13. Rekonstruktion der Nike des Paionios.*

## Der Hermes des Praxiteles

Weiter hinten steht das zweite Werk, vielleicht das berühmteste Stück der griechischen Plastik: der Hermes des Praxiteles (Abb. 48). Sein Ruhm ist so groß, daß wir ihn nicht extra vorzustellen brauchen. Wenn einige Archäologen Zweifel an der Originalität des Werkes hegen und behaupten, es handle sich um eine wunderbare römische Kopie nach dem praxitelischen Meisterwerk, so glauben die meisten doch, daß wir das Original selbst vor uns haben — mit gewissen Eingriffen auf der Körperrückseite, die verschiedene Gründe haben. Ein gnädiges Schicksal rettete uns nicht nur den schlanken Körper des Gottes in außerordentlich gutem Zustand, sondern auch sein Gesicht mit dem verträumten und feuchten Blick, das reiche und bemalte Haar und die feinen Stirn- und Wangenwellen. Kommt man aber aus dem Saal mit den strengen Giebelfiguren und steht vor diesem weichen Körper, einem Werk des späten 4. Jhs. v. Chr., d.h. einer Zeit mit größerer Erfahrung, aber müde von einem langjährigen Weg, wird man in seiner Entscheidung unausweichlich unschlüssig und hat Schwierigkeiten, sich dem neuen geistigen Klima anzupassen. Wer jedoch den Entschluß gefaßt hat, die unendliche Landschaft, die Kunstgeschichte heißt, zu durchmessen, muß wissen, daß er Blumen und Früchten aller Art begegnet, die alle bedeutsam und wertvoll sind, und soll sich nicht von den Veränderungen überraschen lassen, die ihn erwarten. Genau das ist der Reichtum der Kunst.

## DIE FUNDE AUS DER WERKSTATT DES PHIDIAS

Bevor wir zur einzigartigen Bronzesammlung des Museums von Olympia kommen, müssen wir bei einigen kleinen, merkwürdigen Gegenständen aus Terrakotta haltmachen, bei einigen Stücken aus Glas oder Elfenbein, sowie bei einigen Gerätschaften, die zusammen mit einem scheinbar unbedeutenden Gefäß einen der erregendsten Funde der letzten Jahre darstellen. Im Zeustempel stand, wie oben schon vermerkt, das berühmte Goldelfenbein-Standbild des Gottes, ein Werk des Phidias. Wir kannten aus der Überlieferung den Platz, wo der große Plastiker seine Werkstatt eingerichtet hatte: dort, wo später eine christliche Basilika errichtet wurde (Abb. 26). Zweifelten auch viele an der Glaubwürdigkeit dieser Information, so bestätigten die Forschungen auf die glänzendste Weise ihre Zuverlässigkeit. Die Ausgrabungen des Deutschen Archäologischen Instituts am Ort der Werkstatt lieferten die greifbaren Beweise für die Arbeit des Phidias: viele Gußformen aus Terrakotta, die zur Formgebung der Falten des goldenen Gewandes des Zeus dienten; Gerätschaften zur feinen Ausarbeitung des Goldes und des Elfenbeins sowie die Überreste von Elfenbeinstücken vervollständigen diesen einzigartigen Fund. Wenn uns auch das große Werk verlorengegangen ist, das am Ende des 4. Jhs. n. Chr. nach Konstantinopel transportiert wurde, wo es später verbrannte, schenkte uns doch das Schicksal diese Gußformen, die uns erlauben, uns ein Bild davon zu machen, wie es gearbeitet wurde, und uns vielleicht zu ermöglichen, einen Teil zu rekonstruieren.

Davon abgesehen wartete die Ausgrabung der Werkstatt mit einer unglaublichen Überraschung für die Archäologen auf: sie schenkte uns einen

*14. Rekonstruktion der von Phidias geschaffenen goldelfenbeinernen Kultstatue des Zeus von Olympia.*

der erregendsten Funde, die man sich vorstellen kann. Unter vielen dort gefundenen Gefäßscherben gab es einige, die zu einem kleinen, einfachen Weinkännchen gehörten. Als sie gereinigt und zusammengefügt wurden, lasen die Archäologen auf der Außenseite ihres Bodens eine Inschrift, die in den Ton mit schönen Buchstaben eingeritzt war und nur aus zwei Worten bestand: ΦΕΙΔΙΟ ΕΙΜΙ (= ich gehöre dem Phidias). Nach 2400 Jahren hielten wir das gleiche Trinkgefäß in Händen, das der beinahe mythische Künstler in seiner Werkstatt hatte, um seinen Durst zu löschen, wenn die Hitze Olympias und der Arbeit seinen Mund austrockneten.

## DIE BRONZEN DES MUSEUMS

Die alten Führer von Olympia erwähnen vierzehntausend Bronzeobjekte. Fügen wir dazu alle die, welche ins Archäologische Nationalmuseum in Athen gebracht wurden, und diejenigen, die in den letzten Jahren gefunden wurden, werden wir die Fülle und die Bedeutung des Museums von Olympia für das Studium und die Kenntnis der Bronzekunst im antiken Griechenland begreifen. Besonders bedeutend ist die Tatsache, daß die Bronzefunde von Olympia alle Perioden der griechischen Zivilisation vertreten, von der geometrischen Zeit bis zum Ende der Antike, und alle griechischen Werkstätten, die ionischen, die peloponnesischen, die attischen und die unteritalischen. Auch verkörpern die Bronzeobjekte alle Arten der Bronzebearbeitung: plastische Statuetten, Geräte, Schmuckstücke, Waffen, architektonische Verkleidungen und alle anderen Erzprodukte kann der Besucher oder Forscher finden und studieren. Schließlich gibt es in dieser reichen „Chalkothek" auch ein ganz seltenes Beispiel für die Technik der gehämmerten Bronze für die Herstellung relativ großer Plastiken. Diese Technik benutzten die griechischen Bronzebearbeiter bis ca. zur Mitte des 6. Jhs. v. Chr., d.h. bis zur Zeit, wo die beiden Meister aus Samos, Rhoikos und Theodoros, die Methode des Bronzegießens ersannen, wobei das Innere des Standbildes hohl blieb. Die gehämmerte Statue, die in Olympia gefunden wurde, zeigt eine einflügelige Gestalt, ein wenig kleiner als die natürliche Größe (Abb. 49). Diese merkwürdige Figur mit dem fleischigen Gesicht und den weitgeöffneten Augen vertritt die Bronzeplastik der ersten Jahrzehnte des 6. Jhs. v. Chr.

### Bronzestatuetten

Wir sagten oben, daß die kleinen Statuetten auf gewisse Weise den Verlust der großen plastischen Werke ersetzen, die dem Zeus geweiht waren, weil ihre Größe nicht die Qualität beeinflußt, die bisweilen außerordentlich hoch ist. Die kleine Figur eines bärtigen Kriegers z.B. mit dem großen Schwert an seiner rechten Seite ist eine vorzügliche Schöpfung der lakonischen Werkstatt aus der Mitte des 6. Jhs. v. Chr. (Abb. 50). Zusammen mit anderen Figuren, von denen noch eine gefunden wurde, die einen glatzköpfigen Alten darstellt, zierte sie den Rand eines riesigen Bronzegefäßes, höchstwahrscheinlich eines Mischkrugs, welcher in die Altis geweiht war. Und wir wissen, daß die lakonische Bronzewerkstatt in archaischer Zeit für ihre Kunst berühmt war, besonders für ihre Mischkrüge.

Nicht weniger bekannt und berühmt war in jener Zeit die Werkstatt von Argos, die ihren Ruf und ihre hohe Produktion auch in klassischer Zeit bewahrte, wo sie mit dem meisterlichen Plastiker Polyklet und seinen Abkömmlingen einen besonderen Rang erwirbt. Sieht man die winzige Statuette eines Läufers, der sich mit ausgestreckten Armen und dem linken Knie nach vorn beugt, bereit zum Wettkampf zu starten, versteht man, daß es die Meister von Argos fertigbrachten, auf die einfachste und konzentrierteste Weise sowohl den geübten Körper als auch den flüchtigen Augenblick des Startes wiederzugeben (Abb. 51). Die auf seinem rechten Schenkel eingeritzte Inschrift — Ich gehöre dem Zeus — macht uns klar, daß ein Athlet diese Statuette um 480 - 470 v. Chr. dem Schutzherrn der Olympischen Spiele geweiht hat.

Aus der gleichen Werkstatt stammt vielleicht auch das kleine Pferdchen, das zu einem Viergespann gehörte und auch von einem Athleten in das Zeusheiligtum geweiht wurde (einige Jahre später, d.h. 470 - 60 v. Chr.; Abb. 52). Seine strenge Haltung, die einfache, aber durchdachte plastische Ausführung, die Genauigkeit und Sicherheit bei der Wiedergabe der Kopfdetails ordnen es den Meisterwerken des Strengen Stils zu und erlauben uns, uns die imposanten Bronzeviergespanne vorzustellen, welche die reichen Fürsten Siziliens in die panhellenischen Heiligtümer weihten, wie jenes Viergespann, von dem der Wagenlenker von Delphi stammt.

## Bronzebleche

Der für uns wertvolle Pausanias, Reisender im 2. Jh. n. Chr., beschreibt uns bei seinen Ausführungen über Olympia in allen Einzelheiten einen Schrein aus Zedernholz, den er im Heratempel sah. Er war ein Weihgeschenk der Kypseliden, der berühmten Tyrannen von Korinth am Beginn des 6. Jhs. v. Chr., und trug Darstellungen aus Elfenbein und Gold; einige waren ins Zedernholz selbst geschnitzt. Die weitere Beschreibung zeigt uns, daß man auf ihm eine Fülle von Szenen aus der griechischen Mythologie sehen konnte. Dieser Schrein ist uns natürlich nicht erhalten; es haben sich aber in Olympia Hunderte von Bronzeblechen erhalten, die Reliefdarstellungen jeder Art tragen und nicht nur wunderbare Beispiele der griechischen Bronze-Kunst darstellen, sondern uns auch eine sehr reiche und frühe Illustration der griechischen Mythen bieten. Viele von ihnen müssen als Verkleidung solcher Schreine oder Tafeln gedient haben, während andere Schildgriffe oder die Beine von Dreifüßen zierten. Auf einem solchen Dreifußblech des 8. Jhs. finden wir die älteste Darstellung des Mythos vom delphischen Dreifuß, den Herakles rauben wollte, um eine eigene Orakelstätte zu gründen. Die interessantesten Bleche gehören aber ins 7. und 6. Jh. v. Chr.; bei vielen erkennen die Archäologen den Stil der ionischen Kykladenkunst oder der östlicheren Werkstätten von Samos, Chios u.a. Das bedeutet nicht notwendigerweise, daß alle Weihgeschenke in Olympia aus diesen Gegenden stammen, denn wir wissen sehr wohl, daß in der früharchaischen Zeit ionische Meister auf der Peloponnes arbeiteten, wobei vielleicht einige auch Werkstätten in Olympia gegründet haben, da die Nachfrage nach ihren Werken dort groß gewesen sein wird.

Wie dem auch sei: bedeutend für uns sind die Werke selbst mit den sensiblen Reliefs und ihrem inhaltlichen Zauber. Auf einem der frühesten (um 630 v. Chr.) sind zwei Kentauren abgebildet, die Tannenstämme halten und zwischen sich einen Helden in voller Rüstung haben, dessen Beine bis zur Mitte der Wade im Boden stecken (Abb. 53). Der antike Betrachter wird sofort den Mythos von Kaineus erkannt haben, dem unsterblichen Helden, den die Kentauren, um ihn zu vernichten, mit Tannenstämmen in die Erde rammten.

Mythologisch wird sicher auch die Darstellung auf einem anderen Blech sein, das den Aufbruch eines Kriegers zeigt; kurz bevor er auf den Wagen steigt, wo der Wagenlenker die Zügel hält, wendet er sich um, einen letzten Blick auf seine Frau zu werfen, die ihn mit ihrem Kind auf den Schultern verabschiedet (Abb. 54). Es ist nicht leicht zu sagen, welchen der zahllosen Helden, die so oft zu kriegerischen Expeditionen aufbrachen, der Meister im Sinn hatte, der in den ersten Jahrzehnten des 6. Jhs. v. Chr. tätig war. Sicher ist, daß es ihm auf einfache und treffende Weise gelang, die Atmosphäre eines solchen Augenblicks mit verhaltenen, aber ausdrucksvollen Gesten wiederzugeben. Verdichteter und dramatischer sind die Szenen, welche — die eine über der anderen — ein drittes Blech füllen, das ein wenig jünger als das vorhergehende ist (um 570 v. Chr.). Ganz unten raubt Theseus Antiope, und weiter oben tötet Orest seine Mutter Klytaimnestra (Abb. 55). Die Gesten haben jetzt eine den Themen entsprechende Spannung und Leidenschaft gewonnen; die Darstellungen sind thematisch und künstlerisch so selbständig, wie wir sie erst später bei den Reliefmetopen der griechischen Tempel antreffen werden.

### Die Bronzewaffen

Alle oben erwähnten Gegenstände waren dem Gott geweiht; sie hießen bei den Griechen der archaischen Zeit auch ,,agalma" (= etwas, woran man sich freut), weil der Gott sich daran freuen konnte. Ein kriegerischer Gott wie der Zeus von Olympia freut sich aber an nichts mehr als an prächtigen Waffen. Und die sterblichen Krieger, die auch ihre Waffen liebten, wollten, daß diese nicht nur stark und für den Kampf solide waren, sondern auch schön, um sich daran zu freuen, wenn sie sie voller Stolz trugen; sie brachten sie ihm reichlich dar, um ihm für den Sieg zu danken, den er ihnen geschenkt hatte oder den sie zu erlangen hofften. So enthält die ,,Chalkothek" nicht nur die zahlenmäßig reichste Sammlung aller antiken griechischen Waffen, sondern auch die qualitätsvollste. Es gibt in ihr wahre Meisterwerke der Waffenschmiede in Bronze, die der heutige, praktische Mensch staunend ansieht, weil sie so unglaublich durchdacht und inspiriert verziert sind.

### Brustpanzer

In jeder Hinsicht einzigartig ist der bronzene Brustpanzer, der im vergangenen Jahrhundert im Bett des Alpheios gefunden wurde, in private Hand nach Zakynthos kam und später verschwand. Die Archäologen hatten ihn 1883 gezeichnet, um seine wunderbaren einziselierten Darstellungen zu studieren. 1969 tauchte er plötzlich bei einer Versteigerung antiker Kunstwerke in der Schweiz auf, wo er mit privaten Mitteln ersteigert wurde, um zu dem Ort zurückzukehren, wo ihn in der Mitte des 7. Jhs. irgendein reicher Fürst gestiftet hatte, vielleicht einer der berühmten ,,Tyrannen", die so viele griechische Städte im 7. Jh. v. Chr. regierten. Auf dem Unterteil sehen wir sechs Gestalten: rechts Apollon mit seiner Lyra, hinter ihm zwei Mädchen (vielleicht die hyperboräischen Jungfrauen), links Zeus und hinter ihm zwei Jünglinge. Auf dem Oberteil Löwen, Stiere und Sphingen (Abb. 59). Das klare und sensible Konzept, die reiche Bekleidung der Figuren und die Liebe zur Detaildekoration bezeugen die ionische Herkunft des Meisters.

Solche ausgesuchten Werke bildeten natürlich nicht die gewöhnliche Bewaffnung der Krieger, auch nicht der reichen. Gleichwohl bezeugen auch die einfacheren und weniger luxuriösen Brustpanzer die hohe Kunst der griechischen Bronzemeister und ihre künstlerische Sensibilität; das können wir bei einem einfachen, aber in seiner Fertigung und figürlichen Fülle ausgezeichneten Brustpanzer vom Anfang des 6. Jhs. v. Chr. feststellen (Abb. 58).

## Beinschienen und Helme

Das Bild einer vollen Rüstung vervollständigen die Beinschienen; diese einfache schützende Hülle nimmt eine solche künstlerische Gestalt an, daß sie sich in ein unvergleichliches Kunstwerk verwandelt und uns lehrt, wie die Gestaltungskraft des Meisters wirken kann, der die Linien und Massen eines Gegenstandes mit seiner unerschöpflichen Phantasie beseelt (Abb. 57). Die gleiche schöpferische Kraft bezeugen die zahllosen Helme, die in Olympia gefunden wurden. Jeder stellt eine einmalige Schöpfung dar, und seine Verzierung, die sich immer seiner Form und Funktion unterordnet, verwandelt ihn in ein bezauberndes Kunstwerk (Abb. 60 - 64).

Es gibt Helme (und andere Waffen), die über ihre technische und künstlerische Bedeutung hinaus eine einzigartige historische Bedeutung haben und uns greifbare Beweise erregender Augenblicke der griechischen Geschichte vor Augen führen. Die Oxydation hat den oberen Teil eines Helmes vom gewöhnlichen korinthischen Typ zerstört; er ist so einfach und schmucklos, daß wir vorbeigehen würden, ohne ihm besondere Bedeutung zu schenken, wenn wir nicht die Inschrift läsen, die am Rand des Wangenschutzes eingeritzt ist: Miltiades hat ihn dem Zeus geweiht (Abb. 60). Wir lesen den bloßen Namen, ohne den Vatersnamen und die örtliche Herkunft des Stifters, wie es sonst bei den Griechen alter Brauch war. Hätte das Miltiades, der Feldherr aus Athen, der wegen seines Sieges bei Marathon von allen Griechen gepriesen wurde, nötig gehabt? Den Helm wird er in der Schlacht getragen haben; voller Frömmigkeit und Demut schenkte er ihn dem Gott. Und neben ihm sehen wir einen anderen Helm, fremd und ungriechisch, aus der Menge der griechischen aller Typen herausragen. Die an seinem Rand eingeritzte stolze Inschrift löst uns das Problem: Die Athener (weihten) dem Zeus (den Helm), den sie den Medern (d.h. Persern) abnahmen (Abb. 61). Den Helm des siegreichen Feldherrn und das Beutestück von den Unterlegenen rettete der Boden Olympias, um uns den unerwarteten Kontakt mit dem legendären ersten Sieg der Griechen bei Marathon zu schenken.

## Die „Episemata" der Schilde

Nahm bei den vorher erwähnten Waffen die Verzierung einen beschränkten Raum ein und spielte eine zweitrangige Rolle, so war den Meistern bei den Schilden die Möglichkeit gegeben, ihren ganzen Rang und ihre fruchtbare Phantasie zu zeigen. Die runde Oberfläche konnten sie mit einer zentralen Verzierung schmücken, die „Episema" (Schildzeichen) hieß. In Olympia wurden zahlreiche solcher Episemata gefunden, sie bezeugen den Reichtum der dekorativen Themen, die die Künstler ersannen. Eines der passendsten und beliebtesten Motive war das Gorgonenhaupt, das für den antiken Menschen apotropäische Macht besaß und somit die Abwehrfunktion des Schildes verstärkte. Ein solches „Gorgoneion", das von drei sich drehenden Flügeln umgeben wird, blieb als einziges von einem Schild der ersten Hälfte des 6. Jhs. v. Chr. übrig (Abb. 56). Viel kunstvoller und schreckenerregender ist ein anderes einzigartiges „Episema", das in vorzüglichem Zustand gefunden wurde. Es stellt eine monströse Gestalt dar, die nicht ihresgleichen in der griechischen Kunst hat. Auf dem oberen Teil ist die Gorgo zu sehen, die mit ihren Händen die ihre Taille gürtenden Schlangen hält; ihre Flügel wachsen aber aus der Brust und nicht aus den Schultern. In seinem unteren Teil verwandelt sich der Körper hinten in einen Seedrachen, während vorne zwei starke Löwenpranken zu sehen sind (Abb. 67). Ist es vielleicht eine Darstellung des Phobos (Angst) und des Deimos (Schrecken), von denen Homer sagt, sie hätten zusammen mit der Gorgo den Schild des Agamemnon geschmückt? Ist das merkwürdige Werk in einer Werkstatt Großgriechenlands entstanden, wie E. Kunze vermutet, der Archäologe, der das Glück hatte, dieses „Episema" zu finden? Beides ist sehr wahrscheinlich für dieses erstaunliche Werk der Mitte des 6. Jhs. v. Chr.

### Architektur-Bronzen

Die Phantasie der archaischen Meister ist unerschöpflich und erneuert die bekannten Themen bisweilen auf unerwartete Art. Der Greif war eines der beliebtesten Themen der frühen griechischen Kunst, die ihn der Themenfülle des Orients entnahm, ihn aber verwandelte und ihm den Adel und die Dynamik der griechischen Form gab. Das aber, was der Meister eines früharchaischen Bleches (630 - 620 v. Chr.) schuf, ist einzigartig und bezaubernd: er stellte eine Greifin dar, die ihr Junges säugt (Abb. 70). Eine Darstellung, die den schrecklichen Vogel durch seine unerwartete Verwandlung in eine zärtliche Mutter adelt!

### Dreifüße

Die üblichsten Weihgeschenke des Heiligtums von Olympia, aber auch aller anderen griechischen Heiligtümer, haben wir uns für den Schluß aufgespart: die Dreifüße. Seit der frühgeometrischen Zeit war der Dreifuß das Weihgeschenk schlechthin. Anfangs schmückten ihn zwei große aufrechte Rundgriffe, auf denen kleine Bronzestatuetten befestigt waren: Pferdchen allein oder mit einer männlichen Figur, die sie hielt. Später schmückte man die Dreifußränder mit einer Greifenprotome; der drohende Schnabel zeigte nach außen. Schließlich wurde er mit allen möglichen anderen Figuren verziert, menschlichen oder tierischen wie Löwen, Sphingen usw. (Abb. 65, 71). Solchermaßen verziert und prächtig müssen wir uns die zahllosen Bronzedreifüße vorstellen, von denen uns nur wenige unbeschädigt erhalten sind; von denen aber, die verlorengingen, stammen die Blechverzierungen ihrer Füße. Die zahllosen Greifenköpfe gestatten uns, auf gesicherte Weise den ununterbrochenen Wandel der griechischen Form zu verfolgen, der es gelingt, den geistigen Gehalt einer jeden Epoche aus Klarste auszudrücken.

*15. Am Fuß des Kronos-Hügels, am heiligsten Punkt der Altis, befindet sich der uralte Heratempel (Ende des 7. Jhs. v. Chr.). Auf dem Bild das Heraion (Blick von NO) mit den wiederaufgerichteten Säulen. Im Hintergrund die Palästra.*

15

*16*

*16. Blick auf das Tal von Olympia mit dem Alpheios im Hintergrund. Hier wurde der olympische Geist geboren, der sich dann in alle Welt verbreitete. Seit dem Wiederaufleben der Olympischen Spiele wird die heilige Flamme alle vier Jahre in der Altis entzündet; sie trägt das olympische Licht auch in die entlegensten Länder der Erde.*

*17. Die Trümmer der antiken Altis (Luftbild). Links oben das Leonidaion und weiter unten der Zeustempel. Rechts sind gut das Heraion und die Fundamente der Schatzhäuser zu sehen.*

*18. Der Zeustempel, der größte antike Tempel auf der Peloponnes, war ein Werk des elischen Architekten Libon. Die Giebelskulpturen und die ihn schmückenden Metopen sind erhalten geblieben und stellen Meisterwerke des Strengen Stils dar. Das Kultbild des Tempels war der Zeus des Phidias (aus Gold und Elfenbein). Heute sind nur die Fundamente und zahlreiche verstreut hingestürzte Bauglieder zu sehen.*

*19. Das Metroon, ein der Göttermutter geweihter Tempel, wurde im 4. Jh. v. Chr. östlich des Heraion gebaut. Es war ein kleiner, eleganter Tempel im dorischen Stil. Auf der Abbildung ein Teil der Säulenbasis und des Gesimses — alles, was von diesem schönen Tempel blieb.*

17

18

19

*20. Teilansicht des Gymnasions von Olympia, das im 2. Jh. v. Chr. errichtet wurde. Im weiträumigen Innenhof übten sich die Athleten im Speerwurf, Diskuswerfen und Laufen. Verbunden mit dem Gymnasion war die Palästra, die im Hintergrund zu erkennen ist.*

*21. Nahe beim Kladeos-Fluß westlich der Altis wurde in hellenistischer Zeit die Palästra gebaut, die zum Training und angenehmen Aufenthalt der Athleten diente. Im viereckigen, von Säulen umgebenen Hof übten sich besonders die ,,All-" und Ringkämpfer. Ein großer Teil der Palästra ist wiederhergestellt worden.*

*21*

22

23

*22. Die „Krypta" war der offizielle Eingang des Stadions, den die Hellanodiken (Kampfrichter) und die Athleten benutzten. Dieser überwölbte Durchgang wurde in hellenistischer Zeit erbaut und von der durch den westlichen Wall des Stadions gebildeten Aufschüttung bedeckt.*

*23. Längs des Weges, der von der Altis zum Stadion führt, wurden im 4. Jh. v. Chr. bronzene Zeusstandbilder aufgestellt, die „Zanes" hießen. Diese Statuen wurden mit Bußgeldern der Athleten errichtet, die versucht hatten, mit unlauteren Mitteln den olympischen Siegestitel zu erringen. Auf dem Bild die Steinbasen der Standbilder und im Hintergrund der Stadioneingang.*

*24. Das Stadion von Olympia in seiner heutigen Form wird in die Mitte des 4. Jhs. v. Chr. datiert; damals wurde es vom Heiligtum getrennt. Die Länge der Laufbahn beträgt 192,27 m, d.h. 600 olympische Fuß. Die Zuschauer saßen auf Erdaufschüttungen. Nur im Süden gab es eine Tribüne aus Stein mit Plätzen für die Hellanodiken (Kampfrichter).*

*25. Die Fundamente des Leonidaion. Dieses große Gästehaus wurde in der Mitte des 4. Jhs. v. Chr. mit Geldern des Leonidas aus Naxos errichtet und sollte die offiziellen Besucher der Olympischen Spiele beherbergen.*

*26. Die dreischiffige frühchristliche Basilika wurde auf den Fundamenten der Phidias-Werkstatt gebaut. Dieses Gebäude hatte genau die gleichen Ausmaße wie die Cella des Zeustempels, damit Phidias das große Zeusstandbild aus Gold und Elfenbein herstellen konnte.*

*26*

27

*27. Rekonstruktion der Altis, wie sie in römischer Zeit aussah. Im Zentrum der große Zeustempel. Links das Philippeion und das Heraion, dann die Exedra des Herodes Atticus und die Schatzhäuser. Im Osten schließt die Altis mit der Echohalle ab. Im Hintergrund ein Teil des Stadions.*

*28. Blick über das Tal von Olympia*

*29. Hera-Kopf in Überlebensgröße. Er stammt vom Kultbild der Göttin, das sich im antiken Heraion befand und sie auf ihrem Thron sitzend zeigte; neben ihr stand der bärtige Zeus mit Helm. Auf ihrem Kopf trägt sie einen Polos, die heilige Kopfbedeckung weiblicher Gottheiten. Um 600 v. Chr.*

*30. Marmorkopf Alexanders des Großen.*

*31. Deïdameia, Detail vom Westgiebel des Zeus-Tempels.*

29

30

*32. Tonkopf der Athena. Zahlreiche Stücke, die zusammen mit dem Kopf gefunden wurden, führen zu der Annahme, daß er zu einem Weihgeschenk gehörte, das aus mehr als einer Figur bestand. Über den schön gearbeiteten Locken, welche die Stirn bekränzen, trägt sie ein mit Blumen verziertes Diadem. Hervorragendes Werk der spätarchaischen Zeit. Um 490 v. Chr.*

*33. Apollon vom Westgiebel des Zeustempels.*

*32*

*34. Zeus und Ganymedes. Der Gott hält in seinem Arm den geraubten schönen Knaben und macht sich schnellen Schrittes auf zum Olymp, wo er ihm die Unsterblichkeit schenken und ihn als Mundschenken behalten wird. Diese Terrakottagruppe aus der Zeit des Strengen Stils (470 v. Chr.) muß die Schöpfung eines korinthischen Künstlers sein, was man auch aus seinem feinen und reinen, fahlen Ton schließen kann.*

*35. Weiblicher Kopf aus Ton. Um 520 v. Chr.*

35

*36a*

*3(*

*36a. Figur des Oinomaos mit einem Himation über beiden Schultern, das den Körper nackt läßt; in der linken Hand hielt er seinen Speer, auf dem Kopf trug er einen Helm.*

*36b. Die meisten Archäologen nehmen an, daß die weibliche gestalt Sterope darstellt, die Gemahlin des Oinomaos, einige betonen jedoch, daß es sich um Hippodamia handelt, die neben Pelops stehen sollte. Sterope trägt einen dorischen Peplos, der um die Taille gegürtet ist. Sie hat die linke Hand zur linken Schulter in einer gebärde der Überraschung erhoben.*

*37. Die Gestalt des greisen Sehers, mit den sehr realistischen Gesichtzügen, dem dramatischen Gesichtsausdruck und seiner bedeutungsvollen Geste ist eine der vollendetsten Giebelskulpturen Olympias und der griechischen Kunst allgemein.*

7

*38*

*39*

*38-39. Die Giebelskulpturen des Zeustempels stellen die eindrucksvollste Skulpturengruppe des Strengen Stils dar. Die östliche (Abb. 38) hatte den Mythos vom Wagenrennen zwischen Oinomaos und Pelops zum Thema. Der Künstler, der die Komposition plante, zeigt die Helden kurz von dem tragischen Wettkampf. In der Mitte stand die imposante Figur des Zeus, links und rechts davon die beiden Paare; Oinomaos mit seiner Frau Sterope und Pelops mit Oinomaos' Tochter Hippodameia. (Die Archäologen sind sich nicht einig darüber, welches der beiden Paare links und welches rechts war.) Neben den Zentralfiguren sind die Wagen und Diener zu sehen. In den beiden Ecken die beiden personifizierten Flüsse Olympias, der Alpheios und der Kladeos. Die westliche Gruppe zeigt einen Kentaurenkampf. In der Mitte die Gestalt des Apollon, links und rechts von ihm Gruppen von Lapithen und Kentauren (die Frauen gepackt haben) in hartem Kampf. Die beiden Helden Theseus und Peirithoos stehen neben dem Gott. Die Eckfiguren ersetzten in späterer Zeit die ursprünglichen, die aus unbekanntem Grund zerstört wurden. Um 460 v. Chr.*

*40. Deïdameia und der Kentaur Eurytion vom Westgiebel. Die Gruppe vervollständigte die Gestalt des Peirithoos, der sich mit erhobener und bewaffneter Rechter anschickt, den Kentauren zu treffen, der ihm seine junge Frau während der Hochzeit geraubt hat. Das Mädchen versucht, sich den Händen des betrunkenen Eurytion zu entwinden, wobei es seinen Körper kraftvoll nach hinten streckt: das Gewand gleitet herab und entblößt die linke Brust.*

41. Die Gestalt des Apollon auf dem Westgiebel des Zeustempels. Er hat sein Gewand von seiner rechten Schulter nach hinten geworfen und läßt den strengen und festen Bau seines göttlichen Körpers ganz sichtbar werden. Er wendet seinen Kopf nach links und bietet dem Betrachter ein Profil von ausnehmender Sensibilität; die festen Züge des Gesichts treten durch den Gegensatz zu den schöngekämmten und herabfießendeit Haaren noch klarer hervor. Seine Rechte streckt er zur Gruppe des Peirithoos, der Deïdameia und des Eurytion als Zeichen des Segnens und Gebietens der apollinischen Ordnung sowie der Verurteilung der gesetzlosen Gewalttätigkeit der Kentauren.

*40*

42

*42. Eine der stärksten Figurengruppen vom westlichen Giebel des Zeustempels: Ein junger Lapithe hat mit seiner Rechten kraftvoll den Hals eines Kentauren umfaßt, der wiederum die Hand des Lapithen mit beiden Händen ergreift und fest hineinbeißt; der Schmerz, den der Lapithe verspürt, drückt sich im qualvollen Öffnen der Lippen aus, dem Zucken der Augen und den Falten der Stirn. Aber auch der durch den Würgegriff hervorgerufene Schmerz des Kentauren ist auf hervorragende Weise in seinem mißgestalteten Gesicht ausgedrückt. Gleichwohl entstellen diese stark realistischen Elemente nicht die beiden Gestalten, von denen jede ihre eigenen Züge behält: der Lapithe den jugendlichen Adel und die Schönheit, der im reifen Alter stehende Kentaur seine tierische und ungestüme Natur.*

*43. Eine Lapithin, die sich aus dem ungestümen Griff des Kentauren zu lösen sucht. Dabei gleitet ihr der Peplos von der linken Schulter und läßt ihre jugendliche Brust unbedeckt. Die Pose des Mädchens ist einzigartig und wunderbar: der ganze Körper und das Gewand bewegen sich heftig und doch gebändigt mit dem fließenden Rhythmus einer Meereswelle.*

*43*

44

45

*44. Metope von der Ostseite der Cella des Zeustempels: „Die Äpfel der Hesperiden". Um Atlas zu ersetzen, der ihm die Äpfel holen ging, hat Herakles ein Kissen auf seine Schultern gelegt und hält nun seine Arme gebeugt empor, um die gewaltige Himmelslast zu tragen. Hinter ihm steht Athena und hilft ihm. Atlas ist zurückgekehrt und streckt Herakles die Hände mit den mythischen Früchten entgegen.*

*45. Metope von der Ostseite der Cella des Zeustempels: „Reinigung des Augiasstalles". Herakles rammt einen Pfahl in den untersten Teil der Stallwand, um eine Öffnung zu schaffen, durch die dann das Flußwasser hineinströmen wird. Athena zeigt ihm mit der Rechten den Punkt, wo er ansetzen muß.*

*46. Metope von der Westseite der Cella des Zeustempels: „Die stymphalischen Vögel". Der Held hat bereits die schrecklichen Vögel getötet und kommt zu Athena, um seiner Beschützerin die Beute zu zeigen. Die Göttin, mit einem Peplos bekleidet und die Ägis vor der Brust tragend, aber ohne Helm, sitzt barfüßig auf einem Felsen; diese Szene hat nicht ihresgleichen in der gesamten griechischen Kunst. (Athena, der Kopf des Herakles und seine rechte Hand befinden sich im Louvre; im Museum von Olympia wird die Metope mit Gipsabgüssen ergänzt).*

*46*

47

*47. Die Nike des Paionios. Sie erreichte zusammen mit dem hohen dreieckigen Pfeiler, auf dem sie stand, eine Höhe von 11,90 m. Die göttliche Gestalt — mit ausgebreiteten Flügeln und fliegendem Gewand, das sie mit der Linken hielt und das der Windhauch auf ihrem schnellen Flug vom Himmel zur Erde bauschte — setzte ihre Füße auf einen Adler. Eine Inschrift auf dem Pfeiler teilt uns mit, daß sie ein Weihgeschenk der Messenier und Naupaktier und ein Werk des Paionios aus Mende (Chalkidike) war. Um 420 v. Chr.*

*48. Der Hermes des Praxiteles. Das vielgerühmte Standbild, das im Heratempel gefunden wurde, stellt Hermes dar, wie er im linken Arm den Dionysosknaben hält, während er in der erhobenen Rechten Weintrauben hält und sie dem kleinen Gott zeigt, der seinen Arm nach der ihm heiligen Frucht ausstreckt. Der Gott hat sein Gewand auf einem Baumstumpf gelassen und präsentiert seinen wunderschönen jugendlichen Körper. Um 340 v. Chr.*

*49. Geschmiedete einflügelige Figur. Ein seltenes Beispiel für die Technik des Bronzeschmiedens (über einem Holzkern), die die Griechen in der archaischen Zeit zur Herstellung großer Bronzestandbilder anwandten, bevor sie die Technik des ,,verlorenen Wachses" erfanden, die ihnen erlaubte, innen hohle Standbilder zu schaffen. Um 590-580 v. Chr.*

*50. Bronzestatuette eines schwerttragenden Kriegers; die Basis erlaubt uns, den Schluß zu ziehen, daß er zusammen mit einer mitgefundenen Greisenfigur den Rand eines großen Bronzegefäßes schmückte. Werk der lakonischen Werkstatt aus der Mitte des 6. Jhs. v. Chr.*

*51. Bronzestatuette eines jungen Läufers am Start, der bereit ist, den Laufwettkampf zu beginnen. Auf seinem rechten Schenkel ist die Inschrift eingeritzt: ,,Ich gehöre dem Zeus". Werk der argivischen Werkstatt aus der Frühzeit des Strengen Stils. 480 v. Chr.*

*52. Dieses Bronzepferd stammt von einem Viergespann, das sicher ein Weihgeschenk eines Siegers im Wagenrennen war. Vielleicht ist es ebenfalls eine Schöpfung der Werkstatt von Argos. 470-460 v. Chr.*

49

*50*

*51*

*52*

55

*53. Bronzeblech mit getriebener Darstellung: Zwei Kentauren, die mit Tannenstämmen auf einen Hopliten losschlagen. Es handelt sich um den mythischen Helden Kaineus, der unsterblich war; nur indem man ihn in die Erde rammte, konnte man ihn vernichten. Um 630 v. Chr.*

*54. Bronzeblech mit getriebener Darstellung: Ein Krieger ist dabei, den Kampfwagen zu besteigen, auf dem sich bereits der Wagenlenker befindet; bevor er aber zur Schlacht aufbricht, wendet er seinen Kopf seiner Frau zu, die auf den Schultern ihr Kind trägt. Um 590 v. Chr.*

*55. Bronzeblech mit getriebenen Darstellungen, die in horizontale Bildfelder aufgeteilt sind. Das untere stellt Theseus dar, wie er Antiope entführt, das darüber liegende Orest, wie er seine Mutter Klytaimnestra tötet. Um 570 v. Chr.*

56

57

56. *Schildverzierung, die eine Gorgo darstellt, welche von drei sich drehenden Flügeln umgeben ist. 1. Hälfte des 6. Jhs. v. Chr.*

57. *Beinschienen. Die eine ist ein Weihgeschenk der Kleonaier für Zeus. 2. Hälfte des 6. Jhs. v. Chr.*

58. *Brustpanzer aus Bronze von einer Hoplitenrüstung der 1. Hälfte des 6. Jhs. v.Chr. Seine einfache Verzierung, die sich dem Aufweis seiner Hauptelemente und seiner Funktion unterordnet, erhebt ihn in den Bereich der Kunst.*

59. *Vorzüglicher Brustpanzer aus Bronze, verziert mit eingravierter Darstellung. Unten: Der lyra-spielende Apollon mit den zwei hyperboräischen Jungfrauen und Zeus mit zwei Jünglingen. Oben: Löwen, Stiere, Sphingen und Panther.*

*58 — 59*

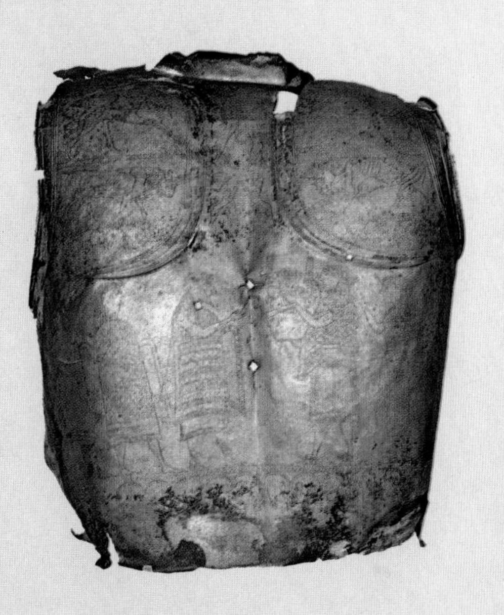

*60. Der Helm des Miltiades. Nach der Schlacht bei Marathon weihte ihn der siegreiche Feldherr ehrfurchtsvoll dem Zeus, wie die Inschrift besagt: „Miltiades weihte (ihn) dem Zeus“. 490 v. Chr.*

*61. Persischer Helm. Inschrift am unteren Rand: „Die Athener für Zeus als Siegesbeute von den Medern“ Der Helm stellte also einen Teil der Beute von der Schlacht bei Marathon dar. 490 v. Chr.*

*62. Korinthischer Bronzehelm. 2. Hälfte des 7. Jhs. v. Chr.*

*60*

61

62

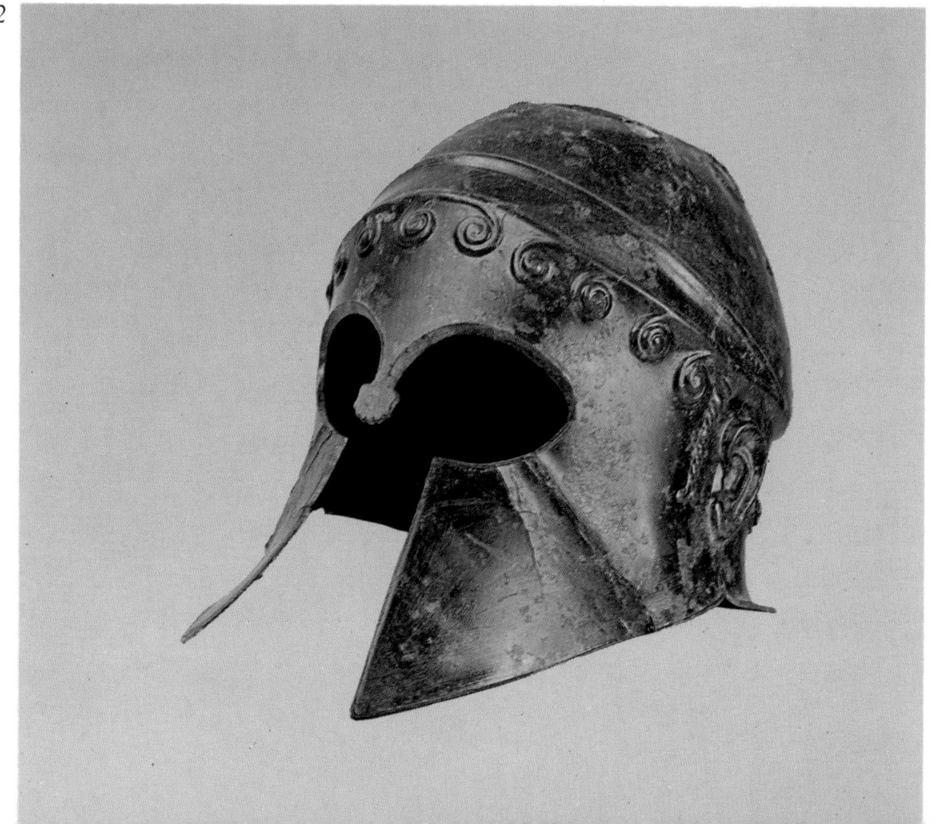

*63 — 64*

*63. Bronzehelm illyrischen Typs. Auf der Stirnseite Verzierung mit aufgesetzten Tieren aus Silber (zwei Löwen und in der Mitte ein Eber). Auf dem Wangenschutz ein aufgesetzter Reiter aus Silber. 530 v. Chr.*

*64. Bronzehelm des „illyrischen" Typs; an den Wangenklappen Widderköpfe. 6. Jh. v. Chr.*

*65. Zwei einander zugewandte Sphingen. Sie waren am Rand eines großen Bronzegefäßes angebracht. 600-550 v. Chr.*

*66. Bronzedreifuß des 9. Jhs. v. Chr. Unzählige dieser Dreifüße wurden als Weihgeschenke in der Altis gefunden.*

65

66

67

*67. Einzigartig in Thema und Qualität der Ausführung ist diese Schildverzierung: Gorgo mit Flügeln, die der Brust entwachsen, und mit Schlangen gegürtet; die Figur läuft in einen Seedrachen und Löwenpranken aus.*

*68. Bronzestatuette eines gehenden alten Mannes. Lakonisches Werk, um 550 v. Chr.*

*69. Bronzestatuette einer männlichen Gestalt. 8. Jh. v. Chr.*

*68*

*69*

*70. Bronzeblech, das vielleicht als Verkleidung einer Holzmetope diente. Das Thema ist einzigartig und überraschend: ein weiblicher Greif, der sein Junges säugt. Die fruchtbare Phantasie und die menschliche Sensibilität des griechischen Handwerkers verwandelt den wilden Fabelvogel, der aus der Kunst des Orients stammt, in ein zahmes und zärtliches Geschöpf. Um 630-620 v. Chr.*

70

71

*71. Greifenkopf. Zusammen mit anderen war er am Rand eines großen Bronzegefäßes angevracht. 600-550 v. Chr.*

*72. Bronze-Sphinx, die ursprünglich als Verzierung irgendeines Gegenstandes diente. Sie trägt einen Korb auf dem Kopf. Die Haare, die in Flechten auf Stirn, Brust und Rücken fallen, werden von einem Stirnband gehalten. Lakonisches Werk, 540-530 v. Chr.*

*73. Bronze-Komposition: Löwen reißen einen Hund.*

72

73